POUR MON PLAISIR
ET MA DÉLECTATION
CHARNELLE

DU MÊME AUTEUR

LOUIS II DE BAVIÈRE, *biographie*, Éditions spéciales, 1973.

LES CHEVALIERS DU CRÉPUSCULE, *roman*, J.-C. Lattès, 1975.

LES FUNÉRAILLES DE LA SARDINE, *roman*, Grasset, 1986 (Prix Médicis).

LES FILLES DU CALVAIRE, *roman*, Grasset, 1991 (Prix Goncourt).

LA SAINTE FAMILLE, *roman*, Grasset, 1996.

LE SONGE DE PHARAON, *roman*, Grasset, 1998.

LES PETITES MAZARINES, Grasset, 1999.

LANSQUENET, *roman*, Grasset, 2002.

LES DIAMANTS DE LA GUILLOTINE, *roman*, Laffont, 2003.

CE SOIR ON SOUPE CHEZ PÉTRONE, *roman*, Grasset, 2004.

FAUT-IL BRÛLER LA GALIGAÏ?, *roman*, Grasset, 2007.

PIERRE COMBESCOT

POUR MON PLAISIR
ET MA DÉLECTATION
CHARNELLE

BERNARD GRASSET
PARIS

ISBN : 978-2-246-63101-9

à Olivier

On se méprend profondément sur la bête de proie et sur l'homme de proie, et aussi sur la « nature » tant qu'on cherche une disposition maladive ou même un « enfer » inné au fond de toutes ces manifestations monstrueuses et tropicales…

Nietzsche

PROLOGUE

LES TEMPS furent lourds d'événements sinistres. Le royaume de France partait en lambeaux. Chacun en voulait une part. L'Anglais harcelait le pays à l'ouest. Et les Ecorcheurs dans Paris se mirent bientôt de la partie. La Hire, Xaintrailles, Chabannes... barons sauvages et fantasques, naguère braves chevaliers, devinrent de terribles ravageurs. Les « retondeurs » suivirent, qui balayèrent les restes. Une odeur de charnier saturait l'air. Amoncellement de crustacés d'acier mal nettoyés par les vents au milieu d'un taillis de ferrailles, restes d'une chevauchée sans lendemain mûrissant au soleil. La trahison, la peste prospéraient. Les princes s'assassinaient avec minutie. Et pas les moindres : ceux de sang. Bourgogne, Orléans. Les lances, les braquemarts, les haches, les becs-de-faucon, les boucliers abandonnés hérissaient la terre ;

11

la rendaient rêche et vaine. Les hasards de la guerre ne traitaient pas mieux le fier chevalier que le simple piéton ou le sournois archer anglais. Étendards en loques, bannières effilochées par les vents, usés par les années, trempaient dans la boue. Certains dataient de la lointaine bataille de Poitiers : Luxembourg, Alençon, Châtillon, Chalons, d'Harcourt, Nevers… Et dans l'enclos d'Azincourt, ce fut pire encore. Les barons s'entremêlaient avec les ducs et ceux-ci avec leurs écuyers. Les carcasses des chevaux formaient de grandes orgues où le vent, s'engouffrant, hennissait sa musique. Tous étaient égaux devant la mort.

En cette année 1405, ce n'est que destruction. Partout se dressent des gibets. On pend et brûle les sorciers, les jeteuses de sorts. Les loups rôdent et le diable est aux portes des villes.

Et le roi de France, le gentil Charles ? Il chevauche hagard, réclamant son royaume à ceux qui l'en ont dépouillé. Il erre de château en château sous l'œil goguenard de l'Anglais. Il a signé tous les traités, toutes les renonciations sans les comprendre. Et c'est bien ainsi puisque chacun semble satisfait. On lui donne des fêtes, des bals tandis que madame Isabeau, sa reine, s'abandonne au plus offrant.

«Una gran putana» dira d'elle son petit-fils, le roi Louis XI. Les autres femmes ne valent guère mieux. Elles avancent insolentes, coiffées de hennins et de bonnets à deux cornes, le ventre en avant dans leur large robe comme pour cacher le fruit de leur nuit de débauche.

C'est au milieu de ce tumulte que naît monseigneur de Rais. Cependant l'âpreté de cet âge gothique n'explique pas entièrement la rage meurtrière qui déjà l'habite.

1

GILLES de Montmorency-Laval, comte de
Brienne, baron de Rais, maréchal de
France, se tient debout dans le tombereau qui
le conduit au supplice en cette matinée du
mercredi 26 octobre 1440. Il assume crâne-
ment son destin. De la foule qui l'accompagne
en procession montent des chants et des
prières. Nul cri de haine mais une compassion
générale. Chacun prie pour l'âme du maréchal. L'admirable vertu de la mort commence
à opérer. « Pardonnez-lui, Seigneur, frap-
pez-nous plutôt ! » Ce fut un tueur d'enfants,
un pédéraste, un sodomite, une bête enragée ;
il eut de grands vices mais n'en appartient que
davantage à notre pauvre humanité.

Le vent siffle, les brumes du matin s'élè-
vent du fleuve et se dispersent. Au loin Gilles
devine ses fiefs. En amont, Champtocé ; vers
le sud, Machecoul, Tiffauges, Pouzauges et

plus loin encore Saint-Etienne-de-Mer-Morte, Princé, Pornic… Et derrière les épaisses rose-lières le Grand Lac où enfant il allait se baigner l'été, à l'heure où les vapeurs du soir rendent les choses indistinctes, entraînant à sa suite des pages pour leur apprendre des jeux impudiques. Il avait joui d'un grand prestige, grâce à une virilité bien au-dessus de son âge qu'il exhibait avec cynisme.

Il hume les embruns iodés qui lui arrivent de l'ouest et, lentement, il se réveille de son mauvais rêve. De l'envoûtement qui l'a poussé dans le crime.

Quand cela prit-il son monstrueux essor ? Tout ce sang répandu pourquoi ? Il n'eut su le dire. Cela lui paraît à présent si loin, d'une autre vie. Celle d'un monstre, disent-ils.

En ce petit matin ouaté, Gilles de Rais s'avance superbe, raide, campé dans son ignominie, au milieu de la foule immense et fervente qui l'accompagne en chantant à travers les rues de Nantes jusqu'au pré des Mauves de l'île de la Biesse, lieu de l'exécution. S'en trouverait-il un pour se souvenir de l'extraordinaire ardeur au mal de l'aïeul qui l'éleva ? Ce Jean de Craon à qui il arrivait de ronger de fureur la paille et le bois comme une bête sauvage. « Par Dieu et ses dents ! » criait-il si on lui résistait.

Et de l'autre, également, le cousin de Jean, ce Pierre de Craon qui, après s'être fourré au service du duc d'Anjou, l'avait suivi dans son équipée napolitaine. Il était mort quand Gilles était enfant, mais, par la suite, à maintes reprises, on lui avait conté l'histoire de ce haut et inquiétant seigneur qui avait détourné l'or que lui avait confié le duc de Milan, Jean Galéas Visconti. Il s'en était allé le dépenser chez les courtisanes de Venise dans les maisons de jeu. Plus tard il fut fait prisonnier et enfermé à Dubrovnik. Et le duc d'Anjou mourut de chagrin à Bari. De retour à Paris, Pierre de Craon se remit en selle et s'insinua dans le cercle du jeune duc d'Orléans, frère du roi Charles VI, qui venait d'épouser Valentine Visconti. Cependant il commit des indiscrétions qui l'obligèrent à quitter la Cour. Il dut se réfugier auprès du duc de Bretagne. Tous deux, pour des raisons diverses, exécraient le connétable Olivier de Clisson, «le grand borgne», un Breton passé au service de la France. Ils projetèrent ensemble un attentat. Pierre de Craon se rendit secrètement à Paris. Il demeura dans son hôtel du Petit Musc, sans en sortir, s'y faisant mener des catins. Il attendait le moment propice, entouré d'hommes de main. Le roi Charles VI le lui offrit.

2

C'EST UN BIEN joli bal qui se déroule le 13 juin 1392 à l'hôtel Saint-Pol, la résidence royale. On y festoie et on y danse tard dans la nuit. Enfin, chacun rentre chez soi. Le Connétable est l'un des derniers invités à prendre congé.

Il regagne son logis de la rue Paradis par le quartier du Marais désert en donnant ses ordres pour le lendemain. C'est qu'il doit recevoir à souper monseigneur d'Orléans, le seigneur de Coucy, messire Jean de Vienne... La troupe va dépasser le carrefour Sainte-Catherine quand Pierre de Craon et ses coupe-jarrets surgissent de la nuit. Les torches sont éteintes. Le Connétable pense aussitôt à une farce du frère du roi quand une voix le rappelle à la réalité. «Je suis Pierre de Craon, votre ennemi!» Bruits d'épées. Les valets et les gardes du Connétable prennent la fuite.

Clisson est jeté à bas de son cheval. Frappé, il se traîne jusqu'à une boulangerie. Les assassins le croient mort. Pierre de Craon donne l'ordre de la retraite. Ils sortent de Paris par la porte Saint-Antoine ; passent la Seine au pont de Charenton. A bride abattue, ils gagnent Chartres. Ils s'y arrêtent le temps de changer de montures et de se rafraîchir. Déjà ils sont sur la route du Mans. Pierre de Craon possède le château de Sablé. Une forteresse sur la Sarthe. Il y demeure quelque temps. Par un espion, il est averti que le roi, après un rapide procès, l'a fait brûler en effigie place de Grève. Il devine qu'il n'en restera pas là, aussi préfère-t-il quitter Sablé et rejoindre le duc de Bretagne.

Alerté de l'attentat, le roi a quitté en pleine nuit l'hôtel Saint-Pol et s'est fait conduire au chevet du Connétable. Il lui promet son soutien. «Comment vous sentez-vous Connétable ? – Petitement, cher Sire, petitement… » On assure le roi qu'il sera rétabli en moins de deux semaines. Charles VI veut poursuivre Craon. A Chartres, l'aubergiste qui a donné à boire aux fugitifs est pendu. On attrape deux valets de la maison de Craon qu'on décapite. L'étau se resserre.

Craon est passé en Bretagne et a trouvé asile auprès du duc. Celui-ci s'étonne de tant de maladresses. Bientôt il apprend à Craon que le roi est en marche et que l'amiral Jean de Vienne, sur ordre royal, a mis Sablé à sac et rasé ses châteaux de La Ferté-Bernard et de Porchefontaine, près de Versailles, ainsi que son hôtel parisien, forçant sa femme et sa fille à errer sur les routes en chemise. On prétend même qu'elles auraient été violées.

Le roi se trouve au Mans quand il décide de marcher sur la Bretagne, en dépit de la fièvre qui le tient. Cet été de 1392 est inhabituellement chaud. Le frère, les oncles, les cousins, les princes, ses familiers veulent le dissuader d'un tel projet. Mais le roi s'entête. Il lui faut faire justice. Il se dirige vers l'ouest.

La journée est torride en cette mi-août et la lumière éclatante. Le roi coiffé d'un chaperon incarnat brodé de perles porte un habit noir. Pour éviter la poussière, il chevauche sur le côté, en lisière de forêt, accompagné de deux pages. L'un tient sa lance, l'autre son heaume. Soudain un vieillard couvert de haillons surgit du bois et, empoignant la bride du cheval, crie : « Roi ne chevauche pas plus avant mais retourne car tu es trahi…» Charles se jette en arrière. Le vieux continue à vociférer. Les rais de soleil qui percent les frondaisons mouchettent les armures des gardes

La troupe, incommodée par la chaleur, se traîne. Le roi dodeline du chef. L'un des pages somnole. Il laisse échapper la lance qui s'en vient heurter à grand fracas le casque tenu par son camarade. Le roi, tiré de sa songerie, croit à un attentat. Il éperonne son cheval : «Avant, avant sur ces traîtres!» Et il tire son épée, en mouline l'air. Il tourne et retourne. Sa suite se contente de parer les coups en dépit du duc de Bourgogne qui crie «Hara hara! Monseigneur est tout dévoyé! Qu'on le prenne!» Personne n'ose approcher. Toucher le roi de France est un crime. Chacun se contente de se garer. Epuisé, ruisselant, Charles finit dans les bras de son chambellan, Guillaume de Martel. On l'allonge à terre. Il tourne les yeux. Il ne comprend pas. Auprès de lui gisent dans la poussière plusieurs gentilshommes; certains blessés, d'autres morts. La France est devenue veuve de son roi.

Ce veuvage durera trente ans, durant lesquels Charles ne pourra se souvenir de lui-même. Il prend en aversion la reine Isabeau.

Il la fuit, terrorisé. «Qui est cette femme dont la vue m'obsède? Sachez si elle a besoin de quelque chose et délivrez-moi comme vous pouvez de ses persécutions et de ses importunités, afin qu'elle ne s'attache plus ainsi à mes pas.» Quand il aperçoit les armes de Bavière, il se met à danser avec des gestes obscènes.

A sa manière, Pierre de Craon a contribué à ce veuvage.

Terrible race que celle des Craon. Toujours prête à verser son sang. Pierre perdra Antoine, son seul héritier, à Azincourt. Amaury, le fils de Jean, y sera tué également.

Ces Craon forment une troupe de loups en maraude aux marches de la Bretagne, du Poitou et de l'Anjou. Un pied chez le roi de France, un autre chez le duc de Bretagne, quand ce n'est pas les deux en Angleterre comme cet Amaury de Craon qui fut, au siècle précédent, sénéchal d'Aquitaine, alors province anglaise.

Par sa mère, Gilles est de leur lignée. Tout jeune, il a ressenti les effets funestes de leur hérédité violente. Ce besoin de tuer qui le tient comme le galop tient le cheval emballé. «Pour mon plaisir et ma délectation charnelle ! » a-t-il crié au président de Bretagne, Pierre de l'Hospital, dans la grande salle du château de Nantes, durant son procès, quand ce dernier lui a demandé pourquoi tous ces crimes.

3

EN JANVIER 1371, Girard Chabot V, sire de
Rais, est de la parade de Blois. Chevalier banneret[1] à la tête d'une dizaine de chevaliers et de soixante-seize écuyers, il s'y
fait remarquer. Il porte : «d'or à la croix de
sable» et ses armes, comme celles de ses
ancêtres, se sont illustrées dans les meilleurs
combats. C'est en accompagnant le connétable Du Guesclin en Normandie quelques
mois plus tard qu'il sera tué lors d'une escar-
mouche avec l'Anglais. Sans descendance
mâle, sa sœur Jeanne hérite de ses domaines
et de ses châteaux en pays de Rais. Aussitôt,
elle est assaillie de prétendants.

Entre Anjou et Bretagne, il n'en manque
guère. Pour couper court à la ronde, elle
accepte la demande de Roger de Beaufort,

---

1. Chevalier pouvant lever bannière en réunissant ses vassaux.

ami et compagnon d'armes de son frère. Mais celui-ci est prisonnier des Anglais. Les notaires pressent Jeanne. Ils ne sauraient attendre plus longtemps. C'est que la demoiselle est âgée de trente-cinq ans, peut-être davantage, ce n'est plus la première jeunesse. Il lui faut un héritier et son ventre se racornit. Sans plus se soucier de son mariage par-dessus la Manche, elle va quérir Jean l'Archevêque, seigneur de Parthenay. Que n'a-t-elle fait? Le duc de Bretagne, Jean IV, qui convoite le pays de Rais pour en faire un état tampon entre son duché et l'Anjou et le Poitou, crie à la bigamie. On excommunie Jeanne. Elle a passé les quarante ans et abandonne tout espoir d'héritier. Quinze années de procédures et de chicanes commencent. Le duc de Bretagne fait main basse sur quelques paroisses de Pornic à l'Ognon; des Marches du Poitou à la Bretagne, il n'y a qu'une enjambée. Cela se fait benoîtement.

Le duc la somme ensuite de lui abandonner ses terres. Elle refuse. Il la convoque à Nantes. Elle s'y rend en grand équipage. Dames en hennin, écuyers gaillardement troussés. Velours, soieries, dentelles… Tout le luxe d'une puissante dame. Dès qu'elle est dans le château de la Tour Neuve, le ton change. On exige d'elle des choses exorbitantes. Elle refuse net. On la séquestre avec sa suite. Et comme elle résiste, les hommes du duc envahissent ses domaines, pillent ses châteaux de Princé et du Pornic; s'emparent du mobilier, des grimoires, des manuscrits précieux. Elle se retrouve bientôt exilée au fond de la Cornouaille.

Ses parents en appellent alors au roi qui en défère au parlement de Paris. Le Parlement condamne le duc de Bretagne : celui-ci doit restituer les terres et les châteaux et payer une très lourde amende. Jeanne rentre en possession de ses domaines et repart aussitôt en quête d'un héritier. Sur son arbre généalogique, elle jette un œil du côté des Laval. En 1401, Guy de Laval atteint ses vingt ans, elle le reconnaît pour son héritier. C'est alors que Jean de Craon, qui lui aussi cousine avec la vieille Jeanne, fait valoir ses droits. Plutôt que de se déchirer, on transige : le jeune Guy de Laval épousera Marie de Craon, sa fille. Jeanne abandonne à son neveu les fiefs de Rais, de La Mothe-Achard, des Chênes et de la Mauvière... En échange, Guy lui verse une rente viagère et change son nom, en celui de Rais comme il est stipulé dans le contrat. Et abandonne «les seize alérions d'azur can-

27

tonnés sur champs d'or à la croix de gueule brisée de cinq coquilles d'or» des Montmorency pour les armes des Rais «d'or à la croix de sable».

Le ban et l'arrière-ban du pays de Rais, de la basse Bretagne à l'Anjou, sont priés au mariage. Marie et Guy s'unissent à la fin de l'été de 1404 dans la chapelle de Champtocé. Jean du Bellay, abbé de Saint-Florent de Saumur, préside la cérémonie. L'œil sec de Jean de Craon et de Jeanne la Sage en dit long.

Vers la fin de l'été 1405, Marie de Rais donne naissance à un garçon au château de Champtocé. On le prénomme Gilles.

Champtocé est une place forte massive et sombre, bâtie sur un rocher, entourée de fossés et d'étangs, flanquée de onze tours reliées entre elles par un épais chemin de ronde. Le château commande la Loire. A l'est se trouve l'étang de Locé, qui communique avec le fleuve. Jean de Craon use de cette position pour taxer les mariniers qui montent et descendent.

Gilles fait ses premiers pas. Très jeune, il se montre déterminé. Guillemette la drapière, sa nourrice, est obligée de le tenir en lisière. Bientôt Guy et Marie quittent Champtocé pour Machecoul. La vieille Jeanne vient d'y mourir et ils entrent en possession de l'héritage. Quelques années passent et Marie est de nouveau grosse. Elle donne bientôt le jour à un second fils qui portera le nom de René de la Suze.

Ses couches l'ont épuisée. En dépit des attentions de son mari, elle ne se plaît guère à Machecoul. C'est un château plein de crépuscule. Elle se sent à la dérive dans ce logis. A peine y distingue-t-on, par les fenêtres, les feuilles des arbres et les vignes au loin. Certains jours d'hiver, un brouillard qui monte de l'océan embue le pays où les étangs tranquilles se confondent avec une terre craquelée de sel. Les marais viennent lécher les murailles. La forêt projette ses ombres sur les murs ; les choses ici ont souvent moins de réalité que leurs apparences. Marie regarde son aîné grandir et s'affole de ses colères. Parfois, son père Jean de Craon s'annonce au château. Il passe rapidement. Il inspecte. Veut savoir. Il prend les marmots, les soupèse comme des jambons. De la bonne viande, semble-t-il dire. Il regarde son gendre avec condescendance. Il ne l'a jamais vraiment apprécié. Il le soupçonne d'avoir les reins faibles. Aussitôt venu, aussitôt reparti pour l'une de ses nombreuses demeures, non sans avoir donné quelques nouvelles de la Cour.

Jean de Craon est intarissable. De la naissance du bâtard d'Orléans, fils illégitime du duc d'Orléans et de la dame de Cany, au meurtre de ce même duc perpétré par Jean sans Peur, le cousin Bourgogne, rien n'est laissé dans l'ombre. Il tient un réseau d'espions jusque dans l'hôtel Barbette, résidence de la reine Isabeau. Cette dernière n'a jamais aimé l'hôtel Saint-Pol, où séjourne le roi qui la gêne quand, fou, il se met à hurler des insanités, et plus encore quand il recouvre la raison. On lui glisse alors une jeune donzelle pour chauffer son lit, Odinette de Champdivers. Elle l'aime vraiment. Elle le soigne avec patience. Elle lui donnera deux filles que son successeur Charles VII légitimera.

La reine, cependant, œuvre encore. Elle n'a pas abandonné totalement la couche du roi. Un fils a vu le jour l'année précédant le mariage de Marie et de Guy de Laval. Maigrelet, il a survécu. Un autre viendra l'année suivante, qui n'aura pas cette chance. Qui en est le père ? Le duc d'Orléans ! C'est l'évidence ! Craon, qui peut donner des détails sur tout, du plumage des oiseaux exotiques des volières royales aux robes mouchetées des léopards qui vont et viennent entre les parterres de fleurs de l'hôtel Barbette, tenus en laisse par les pages, peut-il ignorer les coucheries de la reine et du premier prince de sang? Comme la lutte que se livrent au sein du conseil le frère du roi et Jean sans Peur, le duc de Bourgogne? D'autres détails? Non! Le voilà déjà reparti.

Eté 1407. A nuit close, un valet du roi, soudoyé par le duc de Bourgogne, est introduit à l'hôtel Barbette. Le roi requiert la présence immédiate de son frère en son hôtel. Le duc d'Orléans prend congé d'Isabeau et sort. Il est monté sur une mule, précédé par des porteurs de torches et par deux écuyers grimpés sur le dos d'un même cheval. Le duc est insouciant. Il sifflote, joue avec son gant. La petite troupe passe le cabaret de l'Image Notre Dame où attendent les sicaires de Bourgogne. Alors le cheval des écuyers prend peur. Il s'emballe. Les assassins avec à leur tête Raoul d'Ocquetonville viennent de surgir de l'ombre. Le coup a été exécuté avec sûreté et rapidité. Le duc d'Orléans gît dans son sang, le crâne fracassé. La cervelle répandue sur le pavé luit à la lumière des torches. Une femme à sa fenêtre crie : Au meurtre! Tout le quartier est en alerte. Près du duc agonise un jeune écuyer qui lui fut envoyé d'Allemagne. Le lendemain Jean sans Peur se rend en l'église des Blancs-Manteaux et, devant le corps de son cousin, se livre à une étourdissante comédie. Il pleure, sanglote. Plus tard, lors des obsèques, en l'église des Célestins, Bourgogne donne l'eau bénite, tient un coin du poêle.

L'anarchie est dans Paris. Le duc Charles, fils de l'assassiné, ne pense qu'à le venger et son beau-père, le puissant comte d'Armagnac, plus encore. Il est monté de son Midi avec ses Gascons.

Cependant, la confrérie des bouchers mène la danse de la révolte. Leur chef est le fameux Caboche. En fuite, Jean sans Peur a emmené le roi dans ses bagages. On le lui a repris de justesse à Vincennes. Le Dauphin Louis se terre au Louvre sans trop savoir comment agir durant les émeutes. On assassine, on pille, on brûle. La rage de détruire s'est emparée de la capitale. Caboche est l'homme de main du parti bourguignon. Par son intermédiaire, Jean sans Peur se comporte en maître. Les Anglais guettent et se réjouissent. Parfois ils s'aventurent sur les côtes du Cotentin et souvent plus avant dans les terres. On leur abandonne une ville ici et là. Bourgogne appelle l'Anglais à sa rescousse pour assiéger Poitiers. C'est un jeu dangereux. On leur promet aussi un morceau de Guyenne. Pardi! La Guyenne ne fut-elle pas terre anglaise? Caboche s'est sauvé de Paris. Un certain Capeluche le remplace. C'est un bon garçon du crime. Un technicien même. Il est le bourreau de la capitale. D'humeur joyeuse et familière, il veut trinquer avec chacun. Il offre même un gobelet de vin à Jean sans Peur. La plaisanterie a des limites. On l'arrête. Condamné à mort, il explique sans se démonter au nouveau bourreau comment il faut s'y prendre pour couper artistiquement une tête.

Le roi d'Angleterre Henri IV vient de mourir, rongé par la lèpre. Il avait fait assassiner son cousin Richard II et empoché sa couronne. Son fils est devenu Henri V. C'est un être ambitieux et froid. Il rêve de reprendre la guerre avec la France. Il envoie sur le continent des ambassadeurs qui parlent haut et fort.

A chacune de ses visites à Machecoul, Jean de Craon élargit sa chronique. C'est un vieux renard qui sait, au gré des malheurs du temps, mettre la main en passant sur une terre, sur un domaine. Cette fois, son fils Amaury l'accompagne. Ce beau chevalier part pour la guerre. L'Anglais a débarqué. Craon, qui l'a eu sur le tard, est fier de son héritier. Il a placé en lui ses espoirs. Un écuyer tient la bannière : «Losangé d'or et de gueules». Lors de la première croisade, les Craon arboraient déjà ces armes. Gilles le regarde, fasciné. Au matin, dans l'armurerie, il surprend les valets qui s'affairent. L'armure a été disloquée. Le haubert séparé du brassard, le casque repose un peu plus loin. C'est un cérémonial. Chaque pièce est briquée, huilée aux jointures. Comme il aimerait caresser le corselet! En dépouiller son oncle au soir de la bataille. Frotter ses muscles douloureux en les chauffant de ses mains. Faire ce qu'il voit faire aux jeunes paysans quand il les entraîne près du lac.

Marie, sa mère, meurt. Son père Guy grelotte auprès du feu. C'est un infatigable chasseur, rompu à tous les exercices de la vénerie. A chevaucher ainsi, du matin au soir, faucon au poing dans les marais, il a attrapé une mauvaise fièvre. Quelques semaines et le voilà lui aussi au tombeau. Il a demandé à être enterré auprès de sa femme à l'abbaye de Notre-Dame de Buzay. Connaissant son beau-père, il a pris soin de régler ses affaires avant de mourir.

Par testament, il confie la garde de ses deux fils à Jean Tournemine de la Hunaudaye. Quant à leur éducation, ce sont deux ecclé-siastiques, Georges de Boczac et Michel de Fontenay, qui en ont la charge.

Jean de Craon ne l'entend pas ainsi.

Il glisse son regard de rapace sur ses petits-fils. Déjà de vrais gentilshommes dans leurs cottes de velours, avec le col et la nuque rasés et leurs cheveux coupés au bol.

4

Automne 1415 – Amaury de Craon s'éloigne de Machecoul avec sa troupe de chevaliers, ses écuyers et ses valets. Les chevaux pataugent dans la terre spongieuse. Par les aulnaies, la troupe gagne la garenne. Elle longe les rivières, traverse les forêts. Elle croise des chevaliers et des archers en maraude, qui sèment la terreur aux alentours des villes.

L'armée du roi s'est assemblée au nord, près de Vernon. Non loin de là, Harfleur vient de tomber aux mains des Anglais après un mois de siège. La dysenterie s'est abattue sur leurs troupes. Par milliers, ils se sont vidés.

Amaury apprend des Normands qui fuient vers le sud que le roi anglais a défié le Dauphin en combat singulier. N'ayant reçu aucune réponse, il fait mouvement vers Calais à travers champs. Il veut regagner l'Angleterre avant l'hiver. L'armée française se dirige elle aussi vers le nord.

Le 24 octobre, Amaury et ses chevaliers lourdement armés ont rejoint le maréchal Boucicaut pour se placer sous sa bannière «d'argent à aigle éployée de gueules becquée et membrée d'azur». Le maréchal s'est toujours montré méfiant vis-à-vis de ce déploiement de force. Ce sont des batailles d'un autre âge. Mais les princes, les barons, les chevaliers veulent en découdre. Ils se racontent encore les faits d'armes des temps anciens.

Le connétable d'Albret a rejeté avec hauteur l'offre de six mille arbalétriers de la milice de Paris. Il est de l'ancienne école et ne croit qu'en la cavalerie.

Il a plu toute la nuit du 24 au 25 octobre, jour de la Saint-Crespin. Sous sa tente, Henri V d'Angleterre prie. Une prière ostentatoire. Il y a chez lui du pharisien. Si le geste est onctueux, le cœur est sec. Il a revêtu sa cotte écartelée des trois fleurs de lys d'or de France et des trois léopards d'Angleterre.

Du côté français, on s'interpelle. On jobarde. On boit. On arme des chevaliers. Des feux sont allumés. Les écuyers et les palefreniers font tourner les chevaux aux jambes engourdies. Le sol est devenu une boue liquide. A l'aube, les chevaliers sont glissés dans leurs armures. De gros hannetons d'acier, qu'il faut hisser ensuite sur leur destrier houssé et caparaçonné. Par souci d'élégance, beaucoup sont restés à cheval durant la nuit afin de ne pas crotter leur brillante armure.

A présent, les deux armées se font face. Le terrain est limité d'un côté par le bois d'Azincourt et de l'autre par celui de Tramécourt. Amaury de Craon piaffe d'impatience. Les Anglais se sont retirés à la lisière de la forêt. Voudraient-ils éviter la rencontre ? Au loin, il n'entend que le bruit mou des sabots dans la bouillasse. Il aperçoit les étendards d'Antoine et de Philippe de Bourgogne qui ont mis un point d'honneur à figurer au combat, alors que leur frère Jean sans Peur a refusé de prendre les armes ; ainsi que celui du duc de Bar « d'azur semé de croisette d'or et aux deux bars d'or » et d'Arthur, prince de Bretagne, le futur connétable de France. Hugues d'Amboise, le chambellan du roi, Jean de Croy, Grand Bouteiller de France et ses deux fils, le sénéchal de Flandres Robert de Wavrin, Crèvecœur, Rohan, les frères Sully... Ils sont tous venus des quatre coins du Royaume. La chevalerie du Nord voisine avec celle du

Midi. Ils sont plantés comme autant de statues de fer. C'est une forêt de lances et d'oriflammes. Les jambières se heurtent. Les gantelets se crispent. Les chevaux se montrent ombrageux sous leurs harnachements. Le terrain est si mauvais que personne n'ose donner l'ordre d'attaquer. Côté anglais flotte l'étendard de saint Georges « d'argent à la croix de gueule ». Il est brandi par l'écuyer du roi. Après plusieurs heures l'armée anglaise décide d'attaquer. La cavalerie française voudrait charger mais, enlisée dans la boue, elle demeure paralysée. Quand elle finit par s'élancer, elle est accueillie par des nuées de flèches. La charge va se briser sur les pieux des Anglais. Le rang suivant se heurte au précédent. Les montures paniquent, se cabrent, désarçonnent leur cavalier. Les chevaux traînent les chevaliers restés retenus par leurs longues poulaines d'acier coincées dans leurs étriers. Ils bondissent au milieu des combattants. Armures et caparaçons de fer s'entrechoquent. Partout, ce n'est que chairs sanglantes et os broyés.

Une autre vague arrive à grand galop. A nouveau, les chevaliers s'enlisent dans ce tas de piques, d'armures, de chevaux. La cavalerie française criblée de flèches meurt courageusement. Le tumulte de la bataille est soudain emprisonné dans l'univers géométrique des lances. Le duc d'Alençon veut rompre ce silence. Il charge à son tour. Il est prêt d'atteindre le roi anglais quand il est touché par un trait d'arbalète. Les chevaliers anglais se sont regroupés autour de leur souverain dont le cimier a reçu un coup de hache.

Une nouvelle vague de la cavalerie anglaise se met en branle. Le duc d'York, oncle du roi, a subi un coup de sang. Droit dans son armure, son destrier vague parmi les monceaux de morts. Une flèche finit par l'atteindre. Il tombe mort.

«Pas de quartier» a proclamé le monarque anglais, qui ne veut pas s'embarrasser de prisonniers. A la boucherie du combat s'ajoute alors celle du massacre. On fait sauter les gorgerins et avec le poignard on tranche les jugulaires. Amaury de Craon, qui a eu son coursier tué sous lui, erre blessé sur le champ de bataille. Il perd son sang. Sa vie lui échappe. Bientôt, il sera mort. Un parmi les cinq mille chevaliers qui jonchent déjà le sol. Les deux Bourgogne, le Connétable, Alençon, Croÿ, Créquy, son cousin Rohan... Tous étendus dans la boue alors que le jour décline. Au loin la piétaille anglaise et les goujats continuent à égorger pour le compte de leur roi. Henri d'Angleterre parcourt le champ de bataille. «Pas de quartier» répète-t-il joyeusement.

Le jour est lent à venir. Une brume s'est levée. Le silence écrasant est par instants rompu par le cri d'un homme qu'on abat.

Au loin passe Henri sans même poser un regard sur les morts.

5

JEAN DE CRAON est assis dans la haute salle de Champtocé. Il a convoqué ses principaux vassaux. S'y trouvent également des ambassadeurs du duc de Bretagne. Ils sont tous réunis pour écouter le récit de l'écuyer d'Amaury, le fils du maître des céans. Il revient d'Azincourt. Il a traversé des provinces ruinées. Les paysans hurlent à la faim. Autour de Paris rougeoient les incendies. Les troupes du connétable d'Armagnac et celles du duc de Bourgogne se disputent le pouvoir. Le Dauphin Louis se meurt rongé par la syphilis et la tuberculose. Des nuits entières il a dansé, joué et batifolé avec les dames d'amour qu'on lui propose. La santé de son frère cadet Jean de Touraine, qui sera Dauphin après lui, ne vaut guère mieux. Seul le comte de Ponthieu, le dernier des garçons du couple royal, fiancé à Marie d'Anjou, montre quelques dispositions à survivre.

L'écuyer tente de rendre palpable l'horreur du massacre; et comment il a découvert le seigneur Amaury sous le corps de Bertrand de Rohan, sire de Montauban, chambellan du Dauphin. Il a donné une bourse à ceux qui s'apprêtaient à le dépouiller de son armure. Il l'a hissé sur un chariot et conduit hors du champ de bataille. Déjà les moines de l'abbaye voisine empilaient les morts dans des fosses, de peur que la peste ne se répande.

A Ruisseauville, il a retiré son maître de son carcan d'acier, l'a dévêtu et lavé. Ensuite il a accompli le dernier rite funéraire en plongeant le corps dans un bassin d'eau bouillante. L'eau est demeurée en ébullition toute la nuit. Au matin, il a repêché les os nettoyés.

Le cercueil se trouve au milieu de la grande salle. Jean de Craon a revêtu une houppelande de deuil. Il est majestueux et en impose à ses vassaux. Près de lui se tient son petit-fils Gilles, qui porte une jaque noire. Il a onze ans. Il écoute, observe. Quand Jean de Craon fait signe à l'écuyer de relever la visière du casque d'Amaury, Gilles s'avance d'un pas pour mieux voir le crâne. Une sorte de volupté l'envahit, un grand feu intérieur. Il pressent obscurément à cet instant comment sa vie prendra son essor. Pourriture! lui crie son démon.

La nuit, pelotonné dans son lit, Gilles est réveillé par une soudaine moiteur. Son oncle Amaury se tient devant lui, exhalant la puanteur des cadavres. Il imagine ses chairs corrompues. Il n'en ressent aucun dégoût. Il aurait même aimé jouir de cette viande. Ses mains pleines de la forme de son torse, de ses cuisses. Il est envahi de toutes parts, cerné par le désir. Son sexe est dur. Il n'a que onze ans et déjà il éjacule.

Le lendemain, Gilles assiste aux funérailles. Les moines, l'évêque d'Angers qui officie, les cierges, la musique, les chantres, le chœur des jeunes enfants, la pureté de leurs voix, l'orgue et la harpe ainsi que la trompette et le hautbois frappent son imagination. C'est un peu lui-même qu'on porte en terre. Il se tient auprès de Jean de Craon. L'évêque et son cortège de diacres s'avancent en une silencieuse procession, alourdis par les chapes d'or qui tombent de leurs épaules. Gilles tourne son regard vers ce grand-père qui a fait briser le testament de son père. Dorénavant c'est ce vieillard froid, cupide et cynique qui est son tuteur.

Gilles apprend le métier des armes, aguer-
rit ses forces. Il brandit l'épée à deux mains,
pointe, estoque, braquemarde. Il possède son
propre maître d'armes. Un Breton qui fut
jadis écuyer auprès du connétable de Clisson.
Il fait des merveilles à cheval. Bientôt il s'im-
patiente, il voudrait aller à la guerre. Se mesu-
rer à l'ennemi. Lequel ? L'Anglais sans doute.
Il s'adonne à des exercices violents pour cal-
mer la fureur qui le tient au corps. De plus en
plus souvent, il entraîne ses valets vers l'étang.
Ils s'y baignent. Parfois, une fille se joint à
eux. Il épie les jeunes écuyers. Se repaît de
leurs jeux amoureux. Il n'éprouve aucun désir
pour ces filles trop roses, trop grasses, trop
humides. A voir ses jeunes compagnons s'y
perdre, un flux de haine le submerge. Il pour-
rait tuer ces garces qui les vident de leur
substance. Il se rhabille poisseux mais satisfait.

Un prêtre lui enseigne le latin. Il en saura
assez pour lire Tacite, Suétone et Ovide dont
il se procurera plus tard de précieuses éditions.
Dans Suétone, les mœurs sans frein des Césars
le ravissent. Toutefois il est bon chrétien,
assiste chaque jour à la messe, se confesse,
communie. Il a de larges épaules et une

impressionnante musculature. Bientôt on l'armera chevalier. Déjà Jean de Craon l'emploie à mater certains de ses vassaux. Des expéditions punitives. Le jeune baron de Rais s'endurcit à ces échauffourées. Il y découvre le plaisir des nuits de bivouacs. La camaraderie.

C'est alors que parvient l'annonce de la mort du duc de Bourgogne.

Jean sans Peur est convié début septembre 1419 par le Dauphin Charles à Montereau, en vue d'une réconciliation. La rencontre a lieu sur le pont qui enjambe l'Yonne. Un traquenard parfaitement agencé par le prévôt de Paris, Tanguy du Châtel, un des chefs du parti armagnac qui a sauvé le jeune prince lors des émeutes de la capitale. Tanguy venge ainsi Louis d'Orléans. Le Dauphin Charles est présent sur le pont. Le corps du duc de Bourgogne a été mutilé. On lui coupe la main ainsi qu'on l'a fait au duc d'Orléans. La tête est défoncée. Un siècle plus tard, le moine qui présentera le crâne au roi François Ier dira simplement : c'est par ce trou que passa l'armée anglaise.

La reine Isabeau est entièrement soumise aux Anglais qui la couvrent d'or. Enorme, quasiment impotente, le visage méconnaissable sous ses fards, elle dépêche aussitôt dans les Flandres une lettre à Philippe de Bourgogne. Elle y conte la mort de son père. Décrit le duc Jean abattu dès sa première génuflexion. Crie : au meurtre, à la trahison ! Exhorte le jeune duc Philippe à s'allier aux Anglais. Elle dépeint le roi d'Angleterre hypocrite et dur comme un prince charmant. Elle suggère à ce fils que son père violent et rusé durant sa vie, mort devient un martyr, et lui donne à lui, son héritier, l'occasion unique de trahir sans déshonneur. Elle appelle sur son propre fils Charles, le nouveau Dauphin, les derniers châtiments.

L'ignoble traité de Troyes est à l'horizon. La France est donnée aux Anglais et le Dauphin Charles déclaré bâtard. Dorénavant, on ne le nomme plus que le « soi-disant Dauphin ».

Un jour que passant devant Azay-le-Rideau avec une petite troupe armée, on lui lance des remparts cette bâtardise, il donne l'ordre de prendre le château et de passer au fil de l'épée tous ses occupants. Il semble que ce soit là le seul acte de cruauté du futur Charles VII.

6

JEAN DE CRAON pense qu'il est temps de
marier Gilles. Son petit-fils est un atout
maître pour agrandir ses domaines. De plus il
a deviné en lui une propension à la brutalité.
Les filles de cuisine, les valets le fuient. Il les
force. Il aime désormais la chair dans tous ses
états. Jean de Craon se rassure : pour lui, ce
ne sont que des folies d'adolescent.

Il faut trouver une riche héritière. Craon
avise à la lisière de la Normandie et de la Bretagne une pucelle bien dotée, Jeanne Peynel,
fille du sire d'Hambye. Elle est sous tutelle et
déjà engagée au fils de son tuteur. Peu
importe : Craon propose au baron de Châ-
teaubriant, Charles de Dinan, le grand-père de
la fille, quatre mille livres et le règlement de
ses dettes. Tollé dans la famille. Le parlement
de Paris est saisi. Le mariage est interdit. L'arrêt tombe à pic. La Normandie est occupée

par les Anglais et les terres de la demoiselle ont été données par le roi Henri V au comte de Suffolk.

Jeanne Peynel connaîtra le bonheur du cloître. Quant à Jean de Craon, il est de nouveau en campagne. Une alliance avec la maison de Rohan serait enviable. Craon jette son dévolu sur Béatrice, fille d'Alain de Rohan et de Béatrix de Clisson, fille du feu connétable et nièce du duc de Bretagne. Un contrat est signé à Vannes, au château de l'Hermine, le 28 novembre 1418. Le mariage n'aura pas lieu : la fiancée meurt avant les noces.

Henri V est mort le 31 août 1422. Charles VI deux mois plus tard. On l'a enterré à Saint-Denis sans faste. Charles VII n'est encore à cette date que le «roi de Bourges» en dépit du traité de Troyes signé deux ans auparavant qui reconnaissait alors Henri d'Angleterre comme héritier et régent du Royaume.

La reconquête du Royaume commence. Gilles s'est placé sous la bannière d'Arthur de Richemont, le frère du duc de Bretagne qu'il suit comme son ombre.

Gilles s'exaspère. Autour de lui, ses compagnons sont fiancés ou mariés. Il ressent encore plus fortement le malaise qui le hante.

Il cherche désespérément les occasions de lâcher la bride à son anxiété dans la fureur des combats. Son trouble va en s'amplifiant. Les tempes lui battent violemment. Il entrevoit le chemin glissant de l'extase et de la frayeur, du sang, de la férocité. Et hume l'haleine fétide de la mort.

C'est dans cet état d'esprit qu'il se présente à l'automne 1420 chez le sire de Tiffauges, Miles de Thouars. Un puissant seigneur du Poitou dont les châtellenies menacent ruine. Gilles y découvre Catherine, la fille du maître. Ils se plaisent. Elle est niaise, ce qui n'est pas pour lui déplaire. Il décide de brusquer les choses sans laisser son grand-père s'en mêler. Il se méfie à présent du vieillard et n'aspire qu'à secouer son joug. Il met en croupe la demoiselle et l'enlève de nuit. Il l'épouse dans une chapelle, sur la route de Champtocé, sans attendre la dispense de Rome qui les y autoriserait – ils sont cousins au quatrième degré. Le vent souffle la tempête. Le mariage est déclaré nul. Qu'importe ! Il a été consommé dans la nuit du 30 novembre à l'heure où les sorcières mènent la danse. La nouvelle de la mort du vicomte de Thouars parvient à Champtocé. Il faudra attendre deux ans avant qu'une dispense du pape soit délivrée à l'évêque d'Angers. Les jeunes gens seront alors remariés par l'évêque, en grande pompe devant une assemblée de nobles et d'ecclésiastiques.

Entre-temps Gilles a perdu sa grand-mère maternelle Béatrix de Rochefort. Jean de Craon a aussitôt convolé avec Anne de Sillé, riche veuve et grand-mère maternelle de la femme de Gilles.

Gilles laisse le tiers des fiefs de son défunt beau-père à Béatrix de Montjean, sa belle-mère. Cette dernière épouse aussitôt le jeune Jacques Meschin de la Roche-Ayrtault. Ainsi le nouveau venu devient-il seigneur de Tiffauges et de Pouzauges. Cela n'est pas du goût de Gilles, ni de Jean de Craon. Ils soudoient aussitôt Jean de La Noue, capitaine de Tiffauges. Profitant de l'absence de Meschin, le capitaine s'empare de Béatrix et de la sœur de Meschin. Il les mène de nuit sans aucun égard au Louroux-Bottereau, propriété de Jean de Craon ; puis à Champtocé. On les y tient au secret. Mise en demeure de signer un document par lequel elle restitue Tiffauges et Pouzauges à sa fille Catherine, Béatrix refuse. «Je vous ferai coudre dans un sac et jeter dans la Loire», menace Jean de Craon. Le capitaine de La Noue fait conduire la sœur de Jacques de Meschin en Bretagne et lui fait épouser de force son fils Gérard de La Noue. Meschin envoie à Champtocé son frère avec une troupe d'hommes armés et des huissiers. Jean de Craon refuse de les recevoir et les fait jeter dans un cul-de-basse-fosse. Le bruit de ces exactions s'étant répandu, Anne de Sillé, la nouvelle femme de Jean de Craon, exige que sa fille Béatrix soit délivrée. L'affaire n'en est pas pour autant terminée. L'appétit de Craon et de Gilles est insatiable. Ils veulent tout. Tiffauges, Pouzauges et leurs terres et les autres châtellenies. Ce sont des fauves. Le parlement rend un jugement : Tiffauges sera à Gilles de Rais. Pouzauges à Jacques Meschin. Lorsque le président Adam de Cambray se présente devant Tiffauges pour signifier l'arrêt, il est pris à partie, rossé, détroussé. On devine la main du grand-père et de son petit-fils. Ils sont condamnés à une lourde amende, jamais payée. Jean de Craon s'est déjà faufilé comme conseiller auprès de Yolande d'Aragon, duchesse d'Anjou, reine de Naples et de Sicile et belle-mère du roi, tandis que Gilles poursuit le métier des armes au côté d'Arthur de Richemont. Il défend ses terres et celles de sa famille. Il participe à la bataille de Gravelle. L'année suivante il assiste avec son grand-

père au désastre de Verneuil où le duc d'Alençon est fait prisonnier par les Anglais.

On est encore en hiver mais déjà le prin-
temps carillonne dans la prairie de Chinon. La
masse du château projette son ombre. On a
dressé des tentes en ce 7 mars 1425. Celle
fleurdelisée du roi d'un côté, de l'autre celle
de Richemont, aux hermines de Bretagne.
Richemont s'avance sur son destrier, met pied
à terre et s'agenouille. Charles a pris place sur
un trône. Il est entouré de sa cour. Richemont
prête allégeance au roi qui lui remet l'épée de
connétable. Auprès du roi se tiennent ses
favoris. Les anciens comme Tanguy du Châtel, Louvet, un magistrat prévaricateur, président de Provence, beau-père du bâtard
d'Orléans, futur comte de Dunois, qui court
sans le savoir vers sa chute. Yolande d'Aragon lui signifiera dans quelques mois qu'elle
n'entend pas le voir «voler de si haute aile».
Se trouvent également dans la prairie les nou-
veaux. Camus de Beaulieu qui sera bientôt
grand maître des écuries et que Charles lais-
sera assassiner dans moins de deux ans; le
brutal Pierre Frotier, un ancien valet d'écurie
toujours prêt à l'insulte, qui a participé au
meurtre de Jean sans Peur; Pierre de Giac, un

loup qui ne travaille que pour lui. Il est aussi beau et séduisant que fourbe. Affamé de pouvoir, il aurait, dit-on, vendu sa main droite à Satan. Naguère il était l'amant d'Isabeau de Bavière tandis que sa femme Isabelle de Navaille se donnait à Philippe le Bon. Ce magicien des finances vient d'assassiner son épouse enceinte en l'attachant sur la croupe d'un cheval emballé. Il s'est remarié immédiatement à Catherine de l'Isle-Bouchard, veuve du sire de Chalon, comte de Tonnerre. Une femme aussi remarquable par sa beauté que par sa cupidité. Elle a tenu sur les fonts baptismaux le jeune Dauphin, le futur Louis XI. Plus loin se campe Georges de La Trémoille, coiffé d'un chaperon en vol au vent, hautain dans sa jaquette bordée d'hermine s'évasant sur une jupe à godrons d'où s'échappent deux lourdes jambes gainées de bleu. Cette arrogante montagne de velours et de lard est un puissant seigneur qui a fait de son château de Sully-sur-Loire une place forte. Il sera bientôt Grand Chambellan du roi. Jadis jeune favori à la cour d'amour de la reine Isabeau, et peut-être même un peu plus, il gouverne à présent l'esprit du roi. Du jouvenceau qu'il a été, il ne reste aucune trace. Il dandine sa haute couenne dans des habits sompteux. Il ronronne comme un chat mais c'est pour mieux abattre sa patte. Il est sans scrupules. La Trémoille échafaude déjà des plans pour éloigner le nouveau connétable mais pas avant que celui-ci ne l'ait aidé à éliminer Pierre de Giac dont il convoite la nouvelle femme.

A Issoudun, dans le logis du roi, Giac est bientôt tiré nu de son lit par les sbires de Richemont et de La Trémoille. Sa femme également, dans le plus simple appareil. Elle laisse faire jusqu'au moment où un des hommes de main de Richemont, avisant la vaisselle d'argent et les aiguières d'or, sur un dressoir, se met en tête de les rafler. Catherine se rue aussitôt sur l'indélicat. Ameute le château de ses cris. Mais personne ne bouge. Giac est conduit à Dun-le-Roi. On lui fait son procès. Condamné à la noyade, il demande qu'on lui tranche le poing droit pour le délier de son pacte avec Satan. On le coud dans un sac puis on le jette dans l'Auron. De la rive, La Trémoille regarde le colis glisser sur les eaux et s'y abîmer. Le mois suivant, il épouse la veuve.

Il y a comme une vapeur de sang sur la prairie de Chinon. On y perçoit la vie aux contrastes violents. La Cour est devenue un repaire de brigands. Les destinés vont et viennent au gré des courtisans d'un monarque que chacun pense falot. Une tête de ludion avec son grand blair et ses yeux mi-clos à fleur de tête. La nomination de Richemont comme Connétable est le fruit du travail secret de Yolande d'Aragon. La duchesse d'Anjou, quatre fois reine, œuvre pour maintenir une cohésion dans ce qu'il reste du royaume de France. Jean de Craon la conseille. Il la conseillera si bien que deux ans plus tard, elle lui offrira la lieutenance générale du duché d'Anjou. Elle est la vraie reine de France. Une tête politique. Quant à la reine douairière Isabeau, plus personne ne l'évoque. Elle vit sans chauffage, cloîtrée à l'hôtel Barbette qui menace ruine. Tous la méprisent; même les Anglais, dont elle a pourtant fait le jeu. Sous ses fenêtres, les morts s'entassent. Paris est un égout. Les habitants y sont devenus cannibales. C'est pire dans les campagnes où on déterre les morts. Et la reine Isabeau continue à se farder telle la Grande Prostituée. Ce soir comme tous les soirs, elle attend un page à qui elle donnera une pièce d'or et qui s'en ira tout fier se vanter auprès de ses camarades : j'ai baisé la vieille et je l'ai fait rugir de plaisir. La reine rugit de plaisir et la France de douleur.

Gilles est également à Chinon. Il se tient auprès de La Trémoille. Par les Craon, ne sont-ils pas cousins ? La Trémoille a flairé en lui le prédateur. Ce qui n'est pas pour lui déplaire. Il a besoin d'hommes de cette trempe. Il poussera sa carrière. Gilles l'a compris et il jouera la carte de La Trémoille sans pour autant abandonner le Connétable. Il est pris d'une frénésie de paraître. Il affiche une pose théâtrale. L'histrion du crime est en train de naître.

Si Gilles est présent lors de la remise de l'épée au connétable de Richemont, ce n'est que quelques mois plus tard, en octobre, à Saumur, qu'il approchera le souverain. Son nom aura déjà retenti à plusieurs reprises aux oreilles de Charles.

L'année précédente, Gilles s'est affranchi de la tutelle de son grand-père. Il l'a placé devant le fait accompli. Il administrera seul ses biens dorénavant. Il dispose d'une immense fortune. Jean de Craon, qui connaît le caractère emporté de Gilles, n'a rien rétorqué. Gilles continue à rendre visite à sa femme, qu'il a cantonnée une fois pour toutes à Pouzauges. Il l'honore malgré le dégoût qu'il ressent. Il lui faut un héritier.

7

L A GLOIRE ! Il ne songe qu'à la gloire !
Gilles monte en croupe du Connétable
mais celui-ci se trouve bientôt en délicatesse
à la Cour. Richemont subit un grave revers
devant les Anglais, en mars 1426 à Saint-
James de Beuvron. Dans le même temps son
frère, le duc de Bretagne, abandonne le parti
de la France et rejoint l'alliance anglaise.
Gilles n'a plus qu'à changer de cheval : il
quitte le Connétable pour entrer dans la cote-
rie La Trémoille.

Il arme une petite troupe qui rejoint, selon
les aléas des attaques anglaises, celles d'Am-
broise de Loré, de Jacques de Beaumanoir, de
Jean de Bueil, de Florent d'Illiers. Etienne de
Vignolles, surnommé La Hire à cause de ses
colères homériques et de ses cruautés, croise
son chemin. Ce chevalier est un ravageur-né.
Un dur à cuire. « Dieu je Te prie que Tu fasses

pour La Hire ce que Tu aimerais que La Hire fît pour Toi si Tu étais La Hire et que La Hire fût Dieu» l'avait-on entendu s'exclamer avant un assaut. N'oublions pas Poton de Xaintrailles, Floquet, le bâtard d'Auvergne et celui de Bourbon. Tous massacreurs, pilleurs et brûleurs. Gilles apprend à leur contact. Il se penche sur les cadavres. La mort devient sa compagne. Il veut la démasquer. Il y a de l'obstination dans cette quête. Il poursuit un but caché. Le connaît-il lui-même? Il entre chaque jour un peu plus dans l'ombre du crime. Il est un assassin, il le reconnaît au plaisir qu'il a de tuer.

Ses compagnons et lui prennent Le Mans. Ces jeunes seigneurs, le travail accompli, festoient. Ils culbutent la garce, barattent la ribaude. Gilles s'excite à regarder ses forts soudards y aller de leurs épieux mais, comme pour les dames galantes de la cour de Chinon, il n'a que mépris pour la femme. Il est dégoûté par son odeur, par le grain de sa peau. Il aimerait être sodomisé par un de ces gaillards. Et tandis que Gilles rêve d'être pénétré, l'Anglais reprend la ville nuitamment.

Gilles et Jacques de Beaumanoir s'emparent de la forteresse du Lude puis de Rainfort et de Malicorne.

Gilles est nommé capitaine de la place de Sablé. C'est sans doute à cette occasion qu'il est armé chevalier. A Chinon, à Bourges, à Angers on commente ses exploits. Il est de toutes les montres, de toutes les parades. Aux tournois, il rompt adroitement des lances. On l'envie pour sa fortune. Il est dispendieux pour lui-même et les autres. C'est qu'il aime à obliger. Il donnera mille écus d'or pour la rançon d'André de Laval. Il est vrai qu'ils sont cousins. Il a des goûts de luxe peu ordinaires pour un chevalier de son âge. Il se fait suivre de sa vaisselle d'argent et d'une troupe de jeunes choristes. Il aime depuis toujours la musique et les enfants. Tous ses pages et ses écuyers possèdent de la bravoure et une jolie tournure. C'est le cas de Jean d'Alancé qui se souviendra, des années plus tard, de cette époque où, à l'âge de quinze ans, il portait le cimier et le bouclier de Gilles avant l'assaut. Bientôt paraît Etienne Caurillaut. Il a douze ans. Gilles le caresse du regard. Ils deviendront amants. Comme il vient du Poitou, de Pouzauges exactement, on le surnomme «Poitou», selon l'usage du temps. Il sera un fidèle écuyer du crime et accompagnera son maître dans ses sanglantes débauches.

C'est en cette fin d'automne 1428 que

Gilles décide de se rendre à Chinon où réside le roi Charles.

Georges de La Trémoille a réussi à faire le vide autour du monarque. La reine Yolande a quitté la Cour pour bien montrer son désagrément.

Une puissante famille que celle de La Trémoille. Georges est devenu chambellan du roi. Il a la garde de l'oriflamme de France. Il accumule les terres, les domaines. Il avait épousé en premières noces la veuve du duc de Berry, comtesse d'Auvergne et de Boulogne. Il la maltraitait au point que Charles VII, encore Dauphin, fut obligé d'intervenir pour la mettre à l'abri des violences de son mari qui n'en voulait qu'à son douaire. Malgré tout elle mourut de mort violente.

A Chinon, Gilles prête hommage au roi. Il ne voit en ce dernier qu'un piètre sire, toujours ballotté entre ses favoris. Avec ses petits yeux troubles et vairons, son long nez, il ressemble à un tapir. Ce n'est qu'une apparence. En y regardant de plus près, on découvre un être lucide, savant. On le croit lâche, il n'est que doux, généreux, avare du sang d'autrui. Les souvenirs de sa jeunesse sont causes de ses incertitudes. Ce monarque plein de patience, d'orgueil, et de soupçon ne demande qu'à se libérer. Le regard de Gilles se porte de tous côtés, seul le fastueux La Trémoille l'impressionne.

Les nouvelles du siège d'Orléans parviennent à la Cour. Après avoir ravagé la Beauce et le Gâtinais, Salisbury se trouve à présent devant Orléans. Il y met le siège. Le 21 octobre, il emporte le fort des Tournelles. Trois jours plus tard alors qu'il observe la ville, un boulet tiré des remparts lui enlève un œil et la moitié du visage. Il meurt six jours plus tard. Il est aussitôt remplacé par John Talbot, qui connaît toutes les ficelles de la guerre. L'armée anglaise est trop peu nombreuse pour encercler la ville. Aussi fait-il construire des bastilles toutes commandées par les meilleurs chefs de guerre. William Glasdale, qui tient les Tournelles, invective les Orléanais et leur promet un massacre en grand dès qu'il entrera dans la ville. Les habitants que ses vociférations n'impressionnent guère lui répondent par des chansons et de la musique. On mène une bande de vièles sur les remparts. C'est leur façon de faire danser «les godons». Par cette gaieté héroïque, les Orléanais lambinent l'Anglais. La ville n'étant pas fermée du côté de la Sologne, les vivres y entrent et les troupes également. Des Gascons, des Ecossais, des Italiens, des Espagnols et parmi eux, des mercenaires sans foi ni loi. Pour les commander Xaintrailles et La Hire. Se trouve également un Stuart, qui ne demande qu'à se battre avec ses «highlanders» contre l'Anglais, son ennemi héréditaire. Et puis il y a Dunois, encore appelé le «bâtard d'Orléans», traînant après lui ses bouches de feu. Celles-ci font rage. Il défend bec et ongles l'apanage de sa maison, son demi-frère le duc Charles est toujours prisonnier en Angleterre où il trompe son temps en composant des ballades. Les canons de Dunois ont des noms. L'un d'eux se nomme Rifflard. N'oublions pas la couleuvrine du Lorrain maître Jean, un drôle d'oiseau celui-là, gai comme un pinson et plein de facéties, qui tue en s'esclaffant.

Le siège s'éternise. En plein hiver, Dunois fait passer une bonne fourrure à Suffolk en échange d'une assiette de figues. Le bâtard lui aussi a l'esprit badin.

8

C'EST ALORS que paraît à Chinon, le 6 mars 1429, une jeune fille qui se dit mandatée par Dieu pour chasser les Anglais hors de France et conduire le roi Charles à Reims pour qu'il s'y fasse couronner. Elle arrive de Vaucouleurs, des Marches de la Lorraine et de la Champagne. Née à Domremy, elle est sujette du roi et non du duc de Lorraine. Elle a traversé la France ravagée. Elle est passée au travers des embûches, et la voilà à présent dans la grande salle du château de Chinon. Elle est la troisième fille de Jacques Darc, un honnête laboureur, et d'Isabelle Romée.

Le roi s'est dissimulé derrière ses courtisans. Troupe de rapaces lugubres voletant autour de lui comme autour d'un mort avec leurs jupons godronnés, leurs manches interminables, leurs poulaines aux pointes menaçantes.

Gilles est dans l'assistance. Est-ce là une femme? Non, c'est un garçon. Il est captivé. La désire-t-il? Il y a peu de distance chez lui entre l'érotisme et la sainteté. De ce qui est béni à ce qui est maudit. Il est ébloui, troublé.

La jeune fille a compris qu'on lui donne la comédie. Le courtisan assis sur le trône n'est pas le roi qu'elle continuera par la suite à appeler «le gentil Dauphin» jusqu'à ce qu'il soit sacré. Elle écarte les courtisans, passe devant Gilles sans même le remarquer et s'en va embrasser les genoux du roi. «Gentil Dauphin, j'ai nom Jeanne la Pucelle. Le Roi des cieux vous mande par moi que vous serez sacré et couronné à Reims, et vous serez lieutenant du Roi des cieux, qui est roi de France.»

Le roi Charles la prend à part. Il veut connaître le secret qui le tourmente. Elle le rassure. Il est bien le fils de son père.

Personne ne trouve son compte à cette arrivée. La Pucelle dérange. La Trémoille la regarde comme une ennemie. Regnault de Chartres, archevêque de Reims et chancelier de France, essaie par tous les moyens de la discréditer. Il dresse ses pièges. Seule Yolande d'Aragon la protège. La reine de Sicile s'est retirée depuis quelques mois de la Cour bourdonnante d'intrigues et de trahisons. Elle a usé d'audace et de ruse, de séduction et même de meurtre pour affermir le trône de son beau-fils en même temps que celui de son duché. Aussi navigue-t-elle entre Bretagne, Bourgogne et Angleterre, pour éviter l'invasion de ses domaines. Elle finaude en grande politique pour sauvegarder l'apanage de son fils Louis et veiller aussi que son cadet René recueille bien son héritage lorrain, le duché de Bar et ensuite celui de Lorraine. Son champion, le connétable de Richemont, étant toujours en disgrâce, elle vient de trouver un nouveau bras armé : celui de la Pucelle.

Gilles se pousse dans le sillage de Jeanne. Il aime la guerre mais il désire encore plus intensément briller aux yeux de la Pucelle. Il a croisé son regard pur, emprunt de choses qui lui sont inconnues. Il est conquis. A son contact, il se sent lavé de toutes les particules de péché qui lui collent à la peau. De ses pensées intimes et malsaines. Que Jeanne pose sur lui son regard, voilà que la rage et la colère qui tempêtent sous son crâne s'apaisent. Ses écuyers et ses pages n'ont plus à s'inquiéter. Il est devenu fidèle. Auprès d'elle, il ne ressent pas le dégoût qui le prend quand il se retrouve en présence de sa femme. Catherine de Thouars est grosse. En septembre elle lui donnera une fille, Marie, qui sera son unique héritière. Cette grossesse le dégoûte. Il s'opère dans ce ventre un mystère qui le répugne. Jamais plus il ne la touchera. Ainsi en est-il de certains grands fauves qui, après avoir eu des petits de leur femelle, ne l'approchent plus.

Jeanne essaie à Tours son armure et reçoit son épée aux cinq croix trouvée derrière l'autel de Sainte-Catherine-de-Fierbois. L'Ecossais Hamish Power a décoré son étendard. Elle possède déjà sa maison. En plus de ses deux frères, un chapelain Jean Pasquerel, deux Lorrains Poulengy et Jean de Metz, deux pages, deux hérauts, un écuyer Jean d'Aulon, la constituent. Ce dernier, un petit gars du Languedoc, serait, dit-on, à la solde de La Trémoille pour espionner l'entourage de la Pucelle.

Jeanne ne s'attarde pas à Tours. Elle a hâte d'en découdre avec l'Anglais. Il lui faut néanmoins passer par Blois où réside la reine Yolande. La Bonne Mère a assemblé une armée disparate faite de Bretons, d'Angevins, de Manceaux. Huit mille hommes dont le cœur bat d'un même élan. Elle compte les payer avec des pièces frappées sur son ordre.

Quand il s'agit de la France, du trône de son gendre, de la sûreté de sa fille, cette grande dame ne s'embarrasse pas de scrupules. La voilà faux-monnayeur!

A son tour Gilles fait son entrée à Blois. Il y arrive magnifique avec ses lances, ses écuyers, ses pages, ses musiciens et ses chanteurs. Se joint à lui l'amiral de Culant, La Hire, Xaintrailles, le maréchal de Boussac, le sire de Gaucourt... tous viennent en revanche d'Orléans.

Le 27 avril 1429, l'armée s'ébranle. A sa tête, les prêtres et les moines, les illuminés mais également les sceptiques comme le soupçonneux cardinal archevêque de Reims Regnault de Chartres. Ils chantent le *Veni Creator*. Passe la Pucelle sur sa jument noire, resplendissante dans son armure tel un archange, bannière au vent. A sa suite viennent ses capitaines empanachés et les chevaliers avec leurs lances, leurs bannières, leurs pennons, leurs chevaux aux houssines bigarrées. Le matin même, elle a fait mettre à genoux ces barons cruels. Elle leur a interdit de jurer. Ils ont écouté la messe et ils ont communié. Gilles l'un des premiers. Les Gascons font la grimace mais ils obéissent. Elle les caresse d'un œil amusé. La Hire en particulier. Pour clore ce défilé, suivent les gens d'armes à pied. En tout dernier la piétaille et les six cents chariots où s'entassent vivres et ribaudes ainsi que le troupeau de quatre cents têtes de bétail.

L'armée traverse le pont et longe la Loire du côté gauche. Gilles a approuvé cette manœuvre, que Jeanne déplore. Devant Orléans, la Pucelle repasse le fleuve et entre dans la ville avec deux cents hommes et des vivres. L'armée s'en retourne à Blois. Elle reviendra dans quelques jours mais cette fois par la rive droite.

Jeanne se portera alors à sa rencontre avec La Hire. Les combats devant Orléans commencent. Avec le concours de Gilles, la Pucelle emporte la bastille de Saint-Loup. Les unes après les autres, elles tombent. Il n'en reste que deux : celle des Augustins et celle des Tournelles. Gilles est toujours aux premiers rangs pour l'assaut. Il suit la Pucelle comme son ombre. Il pense que la lumière qu'elle irradie devrait cautériser la blessure purulente qui le travaille sous sa belle armure damasquinée. Il n'a peut-être pas encore commis l'irréparable mais il s'est complu à y penser. Il tue sauvagement l'ennemi, comme un forcené, non comme un chevalier devrait le faire. Il désire ces chairs qu'il transperce, les jeunes pages, les écuyers anglais dont il fait sauter joyeusement les têtes.

La bastille des Augustins est emportée. Reste les Tournelles. Jeanne retraverse la Loire en barque, laissant une partie de ses troupes en attente. L'état-major aimerait tempérer son élan. Elle devine la manœuvre. Voudrait-on lui retirer le bénéfice de la victoire ? «Vous avez vos conseils et j'ai le mien.» Regnault de Chartres baisse le nez. Chaque fois qu'il entreprend quelque chose contre cette fille, elle déjoue ses manœuvres. Elle se tourne alors vers son chapelain : «Venez demain à la pointe du jour et ne me quittez pas ; j'aurai beaucoup à faire ; il sortira du sang de mon corps ; je serai blessée au-dessus du sein…»

Le lendemain, Jeanne est blessée. Un carreau d'arbalète lui traverse l'épaule. On l'étend sur l'herbe, la dérobant aux Anglais qui s'apprêtent à la saisir. Gilles est auprès d'elle. La nuit descend lentement. Dunois est sur le point de sonner la retraite. La Pucelle le retient. Elle prie. Bientôt elle se relève. L'assaut est donné. Glasdale, qui l'avait traitée de ribaude, tombe dans le fleuve et se noie sous ses yeux. «Ah ! que j'ai pitié de ton âme!» soupire-t-elle. Les cinq cents Anglais demeurés dans la bastille sont passés au fil de l'épée. Suffolk s'enfuit. Une «prévoyante retraite» écriront les chroniqueurs.

La Pucelle se rend à Loches où réside le roi. «Sire, il faut me suivre à Reims pour vous y faire sacrer.» Le roi hésite. C'est que Reims est en terres bourguignonnes.

9

L A TRÉMOILLE rage dans son coin. Il n'a eu aucune part à cette victoire. Aussi n'a-t-il aucun intérêt à en faire la publicité ; et non plus que le roi aille se faire sacrer à Reims, ce qui serait reconnaître l'importance de la victoire d'Orléans. Le duc d'Alençon veut de son côté qu'on s'attaque à la Normandie. Il tient à récupérer ses terres. On se contentera de reprendre les petites villes sur la Loire comme Jargeau, où Suffolk vient de se jeter, tranche le roi. L'on s'en tiendra à nettoyer les rives de la Loire, infestées de garnisons anglaises. La tâche est confiée à Alençon. Charles pense que cela occupera l'armée jusqu'en automne. Il se méfie toujours de la Pucelle. Jargeau tombe le 12 juin. Suffolk, capturé, demeurera trois ans dans les geôles françaises. Trois jours plus tard, c'est Meung qui se rend. Le surlendemain, c'est au tour de Beaugency.

Talbot se sauve vers le nord pour rejoindre les troupes de Falstof aux alentours de Patay. Alençon et la Pucelle lui donnent la chasse. Gilles de Rais et La Hire mènent la cavalerie. Talbot se retranche à l'orée du bois de Ligne-rolles. La chaleur est accablante. Le soleil tape sur les armures. Soudain, un des éclaireurs français lève un cerf qui se jette à grands bonds dans le camp anglais. De tonitruants hourras saluent l'apparition de ce magnifique cervidé. Aussitôt, l'éclaireur va rendre compte de sa découverte. Jeanne décide d'attaquer. La Hire charge. C'est un ouragan. Des éclairs d'aciers de tous côtés. Les archers anglais n'ont pas le temps de comprendre ce qui leur arrive. Paniqués, ils s'enfuient et avec eux une partie de l'armée. Ils laissent pour morts trois mille hommes. Talbot est prisonnier et Fal-stof court se réfugier dans Etampes. On l'ac-cusera de lâcheté. Le régent Bedford lui arrachera son ordre de la Jarretière.

La nuit est venue. L'armée dort dans les champs. Elle bivouaque sur place. La terre exhale des parfums de sang et d'herbes brû-lées. Les hommes se sont nichés aux creux des meules. Gilles fait dresser sa tente. On le masse. La liturgie du crime aurait-elle déjà commencé ? Le vin circule. La Pucelle régale à la ronde, assurant qu'ils en boiront un bien meilleur encore à Paris. Le jeune Poitou s'attarde sur le corps de son maître. Gilles imagine celui de la Pucelle. Ses seins hauts et durs, ses cuisses musclées, cette allure si proche de celle d'un garçon, mais cette vision s'éclipse pour ne laisser auprès de lui que Poitou.

Le lendemain, le gros de l'armée se retrouve à Orléans. Le roi est en route. Chacun veut voir celui qu'on nomme déjà «le Victorieux».

A Reims! C'est le souhait général. Le roi s'avance, accompagné de la reine Marie et de sa mère Yolande d'Aragon. Les principaux conseillers suivent le train. La Trémoille ne trouve pas cette équipée à son goût. N'est-ce pas là le triomphe de son ennemie? Gilles n'a pas été à la hauteur de son pacte. Serait-il lui aussi tombé sous le charme de la Pucelle? La Trémoille abat sa dernière carte. La route jusqu'à Reims est dangereuse, fait-il remarquer. Il n'est pas convenable de hasarder une reine de France, au risque de la faire tomber dans une embuscade. Marie et sa mère la reine Yolande sont renvoyées en Touraine.

L'armée royale progresse en territoire bourguignon avec à sa tête la Pucelle entourée de tous les grands capitaines. Le maréchal de La Fayette, qui s'est battu comme un lion à Orléans et à Patay, n'est pas du cortège. Il a encouru la disgrâce du roi pour avoir contredit les avis du conseil de guerre. Il s'est donc retiré dans ses terres d'Auvergne. L'armée contourne Auxerre. Le 10 juillet, elle est devant Troyes. Le chancelier archevêque de Reims veut tempérer la fougue de Jeanne. Gilles est toujours auprès d'elle. Le roi ordonne le siège de la ville qui se rend avant l'assaut final. Troyes est un bien mauvais souvenir pour Charles. C'est dans cette ville que fut signé l'ignominieux traité qui livrait le Royaume de France à Henri V de Lancastre et déclarait Charles «soi-disant Dauphin de Viennois». Charles le bâtard! Charles le bâtard! carillonnaient alors les cloches du Royaume. Et il a fallu l'apparition d'une Pucelle venue de Lorraine pour interrompre ce charivari de clochers. A Reims! Le roi va à Reims!

La cérémonie du Sacre se déroule selon l'antique tradition. Au matin, le roi a nommé Gilles maréchal de France. Il en fait également ment un des quatre otages de la Sainte Ampoule. L'huile sainte est renfermée dans un reliquaire d'or en forme de colombe rappelant celle qui descendit sur Clovis, le jour de son baptême. Ses otages doivent défendre la précieuse fiole jusqu'à la mort. Gilles se rend à l'abbaye de Saint-Rémy en grand apparat en compagnie du maréchal de Boussac, du seigneur de Graville, grand maître des arbalétriers, et de l'amiral de Culant. L'abbé les attend sur le seuil de l'église. C'est en lente procession qu'ils repartent pour la cathédrale Notre-Dame. Pour fermer la marche, Richemont, toujours en disgrâce, a été remplacé par Charles d'Albret, lui-même fils de connétable. Il tient la réplique de Joyeuse, l'épée de Charlemagne demeurée à Saint-Denis avec les autres attributs du Sacre. Les otages pénètrent à cheval dans la cathédrale. L'abbé remet le Saint Chrême à l'archevêque Regnault de Chartres. Charles, aidé par La Trémoille, a enfilé ses chausses brodées de fleurs de lys. Alençon lui a passé ses éperons d'or. Charles, qui n'était pas encore chevalier, a été adoubé plus tôt dans la matinée par ce dernier. Des six pairs laïcs beaucoup n'existent plus. Le duc de Bourgogne a cru bon de se dispenser de cette cérémonie. Le duc d'Alençon, le comte de Clermont, le comte de Vendôme, tous trois princes du sang, le comte de Laval et le sire de Gaucourt y suppléent. Pour les six pairs ecclésiastiques il en est de même. L'un des remplaçants est l'Ecossais John Carmichael, évêque d'Orléans.

Charles reçoit les différentes onctions. A défaut de la couronne, restée dans le trésor de Saint-Denis, on le coiffe de celle trouvée dans la cathédrale de Reims. Il manque également la verge de justice et l'agrafe de Saint-Louis, restées aux mains des Anglais.

Jeanne et son étendard sont à l'honneur sur les marches de l'autel. Parmi les grands dignitaires, on remarque, sombre et splendide, le tout nouveau maréchal de Rais. Le roi lui a permis, insigne honneur, d'ajouter à ses armes une bordure d'azur semée de lys d'or. L'ampoule sacrée est replacée dans le reliquaire et ramenée à l'abbaye de Saint-Rémy. Les trompettes résonnent. Les cloches sonnent à toute volée. Des pièces d'or sont jetées. Le roi, revêtu de son grand manteau d'azur brodé de fleurs de lys, octroie les titres. Il fait des comtes, des barons. Il adoube. Le peuple crie Noël! sur son passage. Des colombes sont lâchées. Quelques jours plus tard, il touchera les écrouelles. Il est définitivement le roi de France. L'herbe a été coupée sous les pieds du jeune roi Henri VI d'Angleterre.

Qu'allons-nous faire maintenant? «Mais la guerre, la guerre!» répond la Pucelle. La guerre, tant que l'Anglais foulera le sol du Royaume.

Autour d'elle se tissent de captieuses paroles. Alors que se déroule le Sacre, La Trémoille n'a pas cessé ses tractations avec le duc de Bourgogne. Charles l'encourage en sous-main. Yolande d'Aragon aussi. C'est le temps des négociateurs retors, des coups fourrés.

Comme la Pucelle, Gilles piaffe d'impatience. Il aime la guerre. Il veut la guerre. Sinon que serait-il? Jeanne se lance avec son armée. Traverse les provinces pelées par les routiers. Cette pauvre France qui n'a plus que la peau et les os. Elle ne fait qu'une bouchée de Soissons, de Château-Thierry, de Senlis. Elle avale Provins et Crépy-en-Valois. Elle resserre l'emprise autour de Paris. Elle a cependant le sentiment qu'on la joue. Le roi est à Compiègne où il reçoit les ambassadeurs bourguignons. Fin août, le roi signe une trêve. Le duc de Bourgogne croit l'endormir. Il rêve d'un royaume autonome qui irait des bouches de l'Escaut à celles du Rhône. Le roi finaude, gagne du temps.

Cependant Jeanne continue à escarmoucher. Elle se rend devant Paris. Gilles est à ses côtés. Le duc d'Alençon va chercher le roi et

79

le ramène à Saint-Denis. Jeanne obtient finalement l'autorisation de donner l'assaut à la capitale. Le 7 septembre, l'armée royale investit la ville, portant son effort sur la porte Saint-Honoré dont elle fait tomber les défenses. Cependant la porte ne s'ouvre pas. Jeanne s'avance sur le premier remblai. Il lui faut passer sur l'autre. C'est à ce moment qu'un bourgeois de Paris lui décoche un trait d'arbalète qui lui transperce la cuisse. Il a cru voir une créature en forme de femme. Moins chanceux est son porte-étendard qui reçoit un vireton entre les deux yeux. On ramasse l'étendard de Jeanne. On la ramène au camp. La retraite est sonnée. Les voix de Jeanne sont demeurées muettes. Elle avait prévenu : «Je ne durerai pas plus d'un an.» Voici venu le temps des trahisons.